Papa et la à roulettes

Texte de Jill Eggleton
Illustrations de Raymond McGrath

Beauchemin

Les enfants font
de la planche à roulettes.

— Je vais faire un tour,
dit papa.
Je suis très bon.

— D'accord,
disent les enfants.
Mais reste dans la cour!

Papa monte
sur la planche.
Il descend dans l'entrée.

Il remonte et redescend
dans l'entrée.

Puis il sort de la cour!

Les enfants
suivent papa.

— **Reviens!**
crient-ils.
Tu vas trop vite!

— Ça va, dit papa.
Je vais descendre
la côte.

Les enfants
regardent papa.
Il va très vite.
Il va trop vite.

— *Oooooh !*
**Je ne peux pas
m'arrêter !**
crie papa.

— **Saute !**
crient les enfants.

Papa saute en bas
de la planche.

La planche
ne s'arrête pas.
Elle descend la côte
et tombe à l'eau !
Plouf!

Papa tombe
dans la boue.

Papa est couvert
de boue.

— Tu dois aller
dans l'eau maintenant,
disent les enfants.
La planche est là.

Papa va chercher
la planche.

— Vas-tu encore l'essayer?
disent les enfants.

— Oui, dit papa.
Mais je reste dans la cour!

Une carte

▬▬ Notes pédagogiques

Titre : Papa et la planche à roulettes

Série : Vent léger 3   **Type de texte :** Narratif
Niveau de lecture : Bleu (10)   **Approche :** Lecture guidée

Apprentissages visés : Raisonnement critique, exploration de la langue française, traitement de l'information
Accent sur les éléments textuels et visuels : Carte, bulles de texte (phylactères)

LECTURE DU LIVRET
- Observez ensemble la première de couverture. Lisez le titre du livret avec les élèves, ainsi que les noms de l'auteure et de l'illustrateur.
- Posez-leur la question suivante : Selon toi, que crient les enfants à papa ?
- Demandez-leur de deviner ce que racontera l'histoire.
- Lisez le texte avec les élèves.

RAISONNEMENT CRITIQUE
Posez ces questions au fil du texte :
- Lis les pages 2 et 3. Selon toi, pourquoi les enfants disent-ils à papa de ne pas sortir de la cour ?
- Lis les pages 4 et 5. Comment peux-tu deviner que papa est fier de lui ?
- Lis les pages 6 et 7. Selon toi, pourquoi papa se dit-il qu'il est bon ?
- Lis les pages 8 et 9. Selon toi, comment papa se sent-il ? Pourquoi ?
- Lis les pages 12 et 13. À ton avis, comment se fait-il que papa ne soit pas blessé ?

EXPLORATION DE LA LANGUE FRANÇAISE
Terminologie
Auteur, illustrateur, illustrations, pages, première de couverture, titre

Vocabulaire
Accordez une attention particulière au décodage et au sens des mots suivants :
Verbes : arrêter (s'), chercher, descendre, essayer, monter, redescendre, regarder, remonter, rester, revenir, sauter, suivre, tomber
Noms : côte, cour, eau, enfants, entrée, papa, planche, roulettes, tour
Adjectifs : bon, couvert
Autres mots : ça, d'accord, en bas de, encore, là, maintenant, mais, puis, très, trop, tu, vite

Conventions typographiques
Lettre majuscule en début de phrase, apostrophe, trait d'union, tiret de dialogue, virgule, point final, points d'exclamation et d'interrogation